草书入门字谱

卢定山　编著

广西美术出版社

卢定山，1945年3月生，广西南宁市邕宁区人。曾任邕宁县文化馆馆长、文化局局长、文联主席，邕宁县人大常委会副主任，南宁市文联副主席，南宁市书法家协会主席，广西书法家协会副主席，中国书法家协会权益保障委员会委员。现为中国书法家协会会员、广西文史研究馆馆员、广西书法家协会艺术指导委员会副主任、南宁同心书画院名誉院长。

卢定山自幼酷爱书艺，一直从前人的碑帖墨宝中吮吸养料，楷书学欧，行效"二王"，草崇张旭、怀素，隶书集东汉诸名碑神韵。公务之余坚持创作，已有200多件各种书体作品在国家级、省市级刊物及各种展览发表、展出或获奖。有数件书法作品被山东省曲阜孔子博物院"论语碑苑"等各地碑林刻石。至今，有书法专著26本、合著8本由广西美术出版社出版，全国公开发行，其中"书法入门字谱丛书"一套4本已多次再版共26次印刷。先后被评为南宁市第二批专业技术拔尖人才、南宁市首届"德艺双馨"文艺家。

目　录

一、书法基础知识

（一）汉字源流与书体简介

我国的文字从创始以来，就随着社会的发展、工具的改进更新及应用上的需要和欣赏上的要求，一直在不断地演变提高着。其演变过程可以分为三个阶段——图形化、线条化和笔画化。图形化指汉字萌芽时期，即商代以前，我们的祖先将简单的刻划符号和描画客观物象的图形发展演变成象形文字，故有"书画同源"的说法。线条化指商代至秦朝之前从象形文字发展为甲骨文、大篆、小篆诸体期间，汉字均为线条组成。秦以后，出现隶书，继而发展有草书、楷书、行书，几种书体均有横、竖、撇、捺、点、钩、挑、折等笔画之分，逐渐完善。经数千年的不断创新和发展，出现各种书体，变化越来越丰富，风格也日益多样。下面将五种主要书体——篆、隶、草、楷、行书的演变过程及基本特点，试举"百花齐放"四字为例作简要介绍。（如图1）

1. 篆书：篆书在其演变过程中形成了繁多的种类，主要包括甲骨文、大篆和小篆三种。

（1）甲骨文：是商代刻在龟甲或兽骨上的卜辞以及与占卜有关的记事文字，是我国现有的最古老的书法艺术遗产，至今已有三千多年。其特点是，结构上长短大小因骨片形状和大小不同而略无定规，但都有一种均衡对称的稳定感，整体章法变化多姿。由于当时笔墨尚未问世，文字是用刀子等工具刻成，虽有方圆肥瘦，但变化不大，转折处多属方形而少轻重顿挫，总的看来，精细严谨，秀美古朴。

（2）大篆：相传为周宣王太史籀所创，故又称籀文，从甲骨文演变而成。大篆有两种：一种叫钟鼎文，又称金文，是商、周两代铸或刻在青铜器上的铭文，用笔于环转之中略带方势，结体整严而疏朗，字形因依就物器型范而参差不一，但却分布天然，显得气度宏伟；另一种叫石鼓文，是刻在10个鼓状石碣上记载田猎等事情的韵文，大约是公元前8世纪秦国的文字，其体态更趋严谨，显得雄强浑厚，朴茂自然，端庄凝重而又生动活泼。

（3）小篆：公元前221年秦始皇统一六国以后，进行"书同文"的改革，把各诸侯国所使用的文字收集起来，存其所同，去其各异，加以综合整理，定为全国统一使用的规范文字，称为小篆，亦称秦篆。与大篆相比，小篆更趋统一而且线条化，其形体匀圆整齐，笔势瘦劲飘逸，字形略带纵势长方，但却整齐美观。

篆书笔画均是藏锋逆入，提笔运行，圆起圆收，转角处都呈弧形，没有外拓的笔锋；结体造型上还遗存着象形字的成分，笔画分布强调对称中求变化，有一种图案花纹似的装饰美。

2. 隶书：远在周代末时，为了应用上的方便，民间就已经出现了一种把篆书的结体和笔画加以变形和简化的字体，后人称为"草篆"。到了秦代，由于小篆书写太慢，也太吃力，不能适应当时紧急的军事文书和浩繁的监狱文书的需要，官吏们便将书体进一步整理加工，遂成为一种新型的书体，并且在公文上采用起来，大受秦始皇的赞赏。因当时办公文的小官叫"徒隶"，人们就将这种书体取名为"隶书"。相传这种隶书为程邈整理而成。隶书实际上是由草篆简化演变而成，把篆书的圆转笔画变为方折，在结构上更加趋向笔画化，目的是为了便于书写。我们今天通常所说的隶书，是指汉代的隶书成熟时期的字体而言，这种书体，字体扁平，工整易认，笔画改省，并出现了波磔，用笔增加了变化，既实用又美观大方。

1

甲骨文	大 篆	小 篆	隶 书

章草	今 草	楷 书	行 书

图 1 各种书体举例

汉隶是汉代书法艺术的特有成就。字体的肥瘦大小、结构运笔，变化无穷，在我国书法史中占有极其重要的地位，即从线条化发展为笔画化，在我国书法史上是一个划阶段的大飞跃。

3. 草书：是为书写得便捷而产生的一种笔画连写的字体，其用笔自由放纵，化断为连，一气呵成，活泼飞舞，变化丰富而又气脉贯通，更便于表达书者的思想情趣，更有美感，是书法中更趋于艺术化的一种形式。草书的出现，促进了汉字的简化和发展，更加巩固了汉字的艺术地位。草书包括章草和今草两种。

（1）章草指早期由草隶发展而成的一种字体，起源于秦末汉初，广泛流行于两汉，又名"隶草"或"古草"。这种书体，字字独立，不相连绵，排布整齐，结体平正，波磔分明，劲骨天纵，既飘扬洒落又蕴涵朴厚的意趣，特别是"捺"的末尾，几乎完全沿袭隶法，但每一字的笔画中已有了萦带，这就是"今草"连绵笔的前身。

（2）今草指晋、唐以后到现在通行的草书。它是在章草的基础上加快行笔，增多圆环、勾连的变化及偏旁假借而成，相传为后汉张芝所创。今草中一笔写一字的称为"小草"，也名"独草"；而一笔绵连写数字者名"大草"，又称"狂草"。狂草书写简便快速，奔腾放纵，活泼飞舞，笔势连绵回绕，字形变化繁多，大有驰骋不羁之势，所以有人称它为"一笔书"。张旭、怀素的草书就属于狂草一类。狂草便于抒发作者澎湃的激情，较容易产生艺术魅力，但由于形体变化大，曲折牵带多，用笔迅疾跌宕，章法变化万千，不易写好，也较难辨认，因而脱开了实用性而作为一种独立的艺术形式存在。要写好狂草，一定要有扎实的基本功。

4. 楷书：又叫"真书"或"正书"，是从隶书、章草演变而成，古时又称"楷隶"或"今隶"。它始于汉末魏初，至隋唐时代成熟，一直沿用至今。楷书形体方正，笔画平直，运笔亦较灵活。与其他书体相比较而言，显得用

笔平稳，点画清晰，搭配匀称，结体方正，这样自然也就通篇整齐。因此，楷书有较强的实用性和艺术性。前人有"楷如立，行如走，草如奔"的说法，立稳了才能走动，才能奔跑。写好楷书，才能更好地写行草书。因此，初学书法多由楷书入手，打牢根基。楷书由于在用笔方法、笔画形态以及间架结构上，不同书家于大同之中又各有小异，因而体态风格也各有不同，各自成家。长期雄踞书坛，对后世影响很大的欧阳询、颜真卿、柳公权、赵孟頫四家，就有"欧劲、颜筋、柳骨、赵肉"之说，为书（习）者指明了他们字体的各自特点。

楷书又有大楷和小楷之别，大楷与小楷，并不完全是字形简单的放大或缩小，而在用笔、结构上是各有特点和规律的。

楷书还有另一体系——魏碑，北魏是书法的一座宝库，虽上承汉隶笔法，但笔画方正有力，结构严谨险峻。北朝时代，特别是北魏，这种书体很盛行，并有很大成就，因此通称为"魏碑"或"北魏"。著名的有《郑文公碑》、《张猛龙碑》等。

5. 行书：是介于楷书与草书之间的一种书体。它非楷非草，楷草兼得，比篆书、隶书、楷书写起来便捷，又不像篆书、草书那样难以辨认，既萦回玲珑、生动活泼，又平易近人。正因为行书既实用又美观，而且伸缩性较大，变化也多，能借助于楷、草的体势来用笔，把楷书的平易性和草书的流美感集于一身，发挥出了独特的艺术效果。所以自从东汉末年产生至今长期以来一直拥有最广泛的喜爱者。

行书写得近于楷书的称"行楷"，写得近于草书的称"行草"。

（二）执笔法

要写好毛笔字，首先要掌握正确的执笔方法。历代书家曾提出种种不同的执笔主张，众说纷纭，各有己见。但比较切合实际，且为后世所效法的，还是晋代大书家王羲之、王献之父子传下来，经唐代陆希声整理阐明的"拨

镫法"，即今天所谓的"五指执笔法"。

1. 五指执笔法

五指执笔法，就是笔管由五个手指把握住，每个手指根据其不同的生理特征发挥其各自不同的作用，可用"按、压、钩、顶、抵"五个字来说明。（如图2）

按——是说明拇指的作用。就是用拇指的第一节紧贴笔管的内侧，但要斜而仰一点，使力量由左后向右前，由内向外。

压——是说明食指的作用。"压"字有约束的意思。用食指的第一节斜而俯地出力紧贴住笔管外侧（笔管在食指第一道横纹处，或略前面一些），力量由外向内，和拇指内外配合约束住笔管，把笔拿稳。

钩——是说明中指的作用。虽然拇指、食指已经将笔管拿住，但力量仍不足，再用中指的第一节弯曲如钩地钩着笔管的外侧，辅助食指的力量，把笔捏紧。

顶——是说明无名指的作用。就是用指甲根部紧贴着笔管，用力由右内向左外推出，把中指钩着的笔管顶住。

抵——是说明小指的作用。因为无名指力量较小，不能单独顶住中指向内的压力，还得小指衬托在它的下面（小指不贴笔管），以增强无名指的力量，才能起到作用。

拇指与食指，中指与无名指、小指两组力量结合在一起，五个手指的力量向着圆心，就可以向四面八方用力运笔。

2. 执笔要领

以上介绍的是执笔的基本动作，但仅懂得五个手指的所在位置及用力方向还不够，我们运用这个方法执笔时，还需掌握下面几个要领。

（1）指实掌虚。执笔时，食指、中指、无名指及小指四个手指要依次垂下稍为靠拢，不留间距，五个手指一齐用力把笔管执牢，这就叫"指实"。还要求把拇指的指节骨稍为向外凸，而食指、中指和无名指的第二、第三节也像张弓一样凸向外边，无名指和小指都不要碰到掌心，使掌心空虚，像握着一个鸡蛋的样子，这就叫"掌虚"。做到指实，写起字来笔画就有骨力；做到掌虚，运笔就能灵活。掌握这一要领后，便能运转自如，刚柔兼得。

（2）腕平掌竖。腕平，就是执笔时手腕和纸面接近于平行。掌竖，就是尽量把手掌竖起来，接近于和桌面垂直。两者有密切关联，掌竖了，腕就易平。这样做便可以使笔锋垂直于纸面，把笔拿得既正又直，这才利于用笔。掌竖则锋正，锋正则四面势全，写起字来便会得心应手。

（3）高低适度。执笔高低，要看写字的大小、书体和各人指力的强弱而定。写小楷、寸楷，要执得低些，手指离笔尖3—4厘米即可。中楷、行书则稍高些，大楷和草书，因其回旋的幅度加大，执笔的高度也要相应增加。如果执笔过低，运笔便不能伸缩自如，失掉了灵活性。反之，若执笔过高，就把握不住笔管的重心，以致笔画漂浮不稳。

（4）松紧得宜。执笔是松好还是紧好，历代书家均有不同见解。然而，握笔过紧，力只能及于笔管，很难达到毫端，写出来的字必然刚狠有余，秀美不足；但执笔过松则五指用不上劲，同样不能把全身力气运用到笔锋毫末处，写出来的字笔力软弱，无刚健可言。因此，执笔必须既牢又松紧得宜，既有力又灵活。松紧要领，要通过长期实践，逐渐体会，才能很好掌握。

3. 几种执笔法简介

"五指执笔法"是常用的执笔法，初学者必须认真掌握。但在某些特殊情况下，如需写较大的字，五指执笔法则不适用。下面将几种不同的执笔方法作简单介绍。（如图3）

捻管执笔法——是用拇指、食指、中指和无名指捏住笔管的上端，手指大部分处于下垂状态，也就是通常所说的高捏笔管。这种执笔方法适用于写大幅草书，因为它能够加快毫速，比较灵活，也便于总领全势。

撮管执笔法——是用拇指由左内向右外

用力，将无名指由里移到右边，和食指、中指并列撮住笔管，小指贴在下面，笔杆变为横式。这种执笔方法适合于面壁站写，如题壁、书写墙头大标语等。

提斗执笔法——提斗也叫"楂笔"，再大一点的叫"抓笔"，一般写特大的字时才用得着，因为这种笔圆斗很大，笔杆短而细，分量较重，所以用一般执笔法很难驾驭。只有用拇指夹住左内方，其余四指握住右前方，将圆斗提起来书写。这样，人的手臂实际上也就起到了笔杆的作用。

五指执笔法

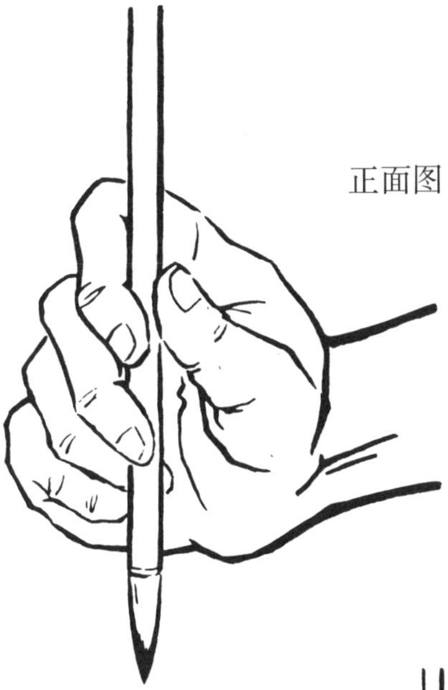

正面图

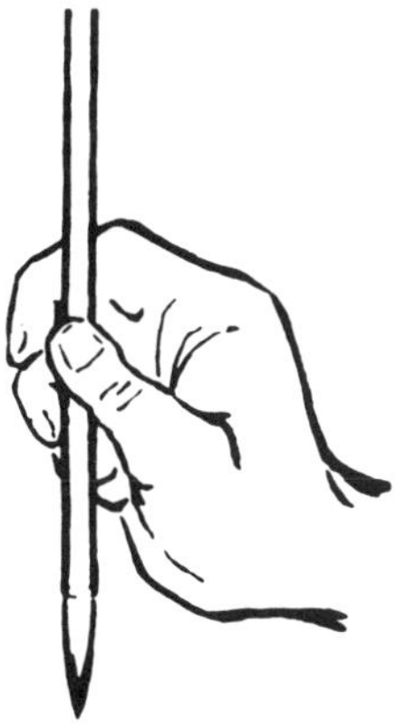

左面图

右面图

图 2

捻管执笔法

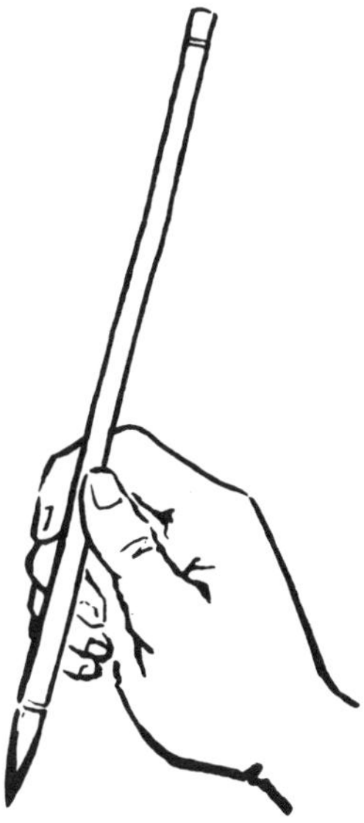

撮管执笔法

提斗执笔法

图 3

二、草书的特点

草书是为了书写便捷而产生的一种书体，在上一章已将草书作了简要的介绍。草书有广义和狭义之别。广义的草书，指不论何种书体，凡写得草率、随意的字，都可以称之为草书，如草篆、草隶、行草等。狭义的草书，是指具有一定法度、自成系统的草写书体，包括章草和今草两种，本书所介绍的是自晋、唐起至今通行的草书——今草。

草书伴随楷书的出现，按照楷字笔画而变化，经过历代书家的变古创新，草书日渐成熟，多姿多彩，已成为书法中更趋于艺术化的一种形式。草书有什么特点，过去草诀歌中曾用"删繁就简笔带连"来概括。下面，从四个方面试作分析介绍。

1. 行笔加快

前人作过"楷书如立，行书如走，草书如奔"的比喻。既然"草书如奔"，当然是很快的动作了，至于快到什么程度，这是相对而言，比其他任何一种书写的速度都要快。然而，不要一味追求快速行笔而"狂跑乱奔"，过于随意，一定要遵循草书的规矩法度，恰到好处，不失形质。

2. 圆环增多

因草书行笔加快了流动的速度，随之而来的是，原来楷书中的直线大都变成了弧线，方角处也多变成了圆角，这就增多了圆环状的笔画。环笔有半环、角环、全环、多环四种，要因字而异。前人有"真贵方、草贵圆"及"真多用折、草多用转"的说法，指出了楷书与草书这一方面的明显区别。但是，不能一味求圆，写草书时，应以圆笔为主，兼之以方笔，方中参之以圆，圆中参之以方，根据字势灵活地变化运笔，这样才不会使骨力减弱而缺乏沉雄之势。

3. 化断为连

草书在起笔时，一般不用逆入平出的运笔方法，而是用虚抢。收笔时，也没太多的运转动作，而是曳尾出笔，或者是借以连下画，还有以附钩连带其他笔画的笔势出现，这样就把楷字中断开的笔画牵连起来了。连笔主要有两种情况，一种是点画相连，另一种是点画之间或字与字之间以牵丝映带体现，这样草书不仅冲破了楷书严谨的格式，而且比行书更加自由放纵、活泼飞舞。由于化断为连一气呵成，使草书不仅达到"删繁就简"的目的，还使其变化丰富而又气脉贯通，因而艺术性更强。值得注意的是，草书连笔也有轻重虚实之别，姜夔在《续书谱》中指出："尝考其字，是点画处皆重，非点画处偶相引带，其笔皆轻"，即点画之间相连应较重，而牵丝不是点画，不宜过粗，否则会使字迹含糊、主次不分。再者，草书的连笔并不是处处皆连，连得太多就会牵丝缭绕、点画不明，会显得矫揉造作、眼花缭乱。应当是有断有连，若断若连，变化虽多，不失法度。

4. 偏旁互借

在草字中，采用了大量的合并，以符号代表多种的字形变化，这是草书的又一特点。草书基于求简求捷的原则，达到"流而畅"的目的，不仅是点和画采取了多用的原则，而且通常用一个偏旁符号，代表了多个偏旁部首，如左偏旁"亻"、"彳"、"氵"、"言"的写法就基本一样，这种现象称之为"互借"。

草书偏旁互借有一旁二用及三用、四用字，为数很多。除多用偏旁外，还有不少专用偏旁及一部分同旁异写的字，我们也要熟记多练，才会正确使用、得心应手。然而，草书偏旁部首的互借，有其一定的法则，不可任意乱造，写得只有自己认识，别人看不懂，这样就失去了字的原意，只能是失败之作了。

上一章曾介绍今草有"小草"和"大草"，

即"独草"和"狂草"之分，两者既有相似之处又有不同的风貌。狂草从小草而出，与小草相较，笔画更趋简省，形态尤为放纵，因此更能抒发作者澎湃的感情，艺术性更加强烈。狂草虽然纵放跌宕、变化多端，但写时都要遵循规矩、符合法度，否则就会流于荒诞狂怪而丧失美感。

小草

狂草

三、基本笔画写法

草书的用笔最为丰富。草书与楷书相较，尽管形态上差异很大，但两者的用笔也有不少共通之处，诸如写楷字的中锋运笔、提按顿挫、轻重徐疾等，在草书中无不具备。然而，为了书写快捷而产生的草书有其用笔的自身特点，主要是圆转增多、省笔存意。书写时多用圆笔，间以方笔，中锋、侧锋、转锋并用，提按、轻重的变化更大。笔法的丰富，充分展示了草书的艺术特点。下面简要介绍草书基本笔画的写法。

1. 横　横画起笔多用侧锋或露锋，然后铺毫，调正笔锋稍向右上行笔，收笔时短横和长横有轻提、停驻、回锋等多种写法。写横画运笔要注意上下俯仰的引带关系，横画上方有接写笔画的，一般收笔时向左上提笔出锋，称为"上挑横"；横画下方有笔画或接写下一个字时，往往收笔时转锋向左下勾出，称为"下钩横"。

2. 竖　竖画起笔有侧锋、露锋或藏锋多种，落笔后铺毫向下中锋行笔。垂露竖的收笔可停驻或回锋，悬针竖则提笔出锋，力到笔尖。在草书中，竖画带钩出现较多，向左钩或向右钩因字而异，有些钩甚至与下一笔相连。草书的竖画一般不用楷书那么垂直，可略带弧度，要因字立形，起到平衡左右的作用。

3. 撇　短撇和长撇的写法相似，只是长度及斜度有所不同，一般是露锋落笔，然后迅速铺毫，调正笔锋向左下运行，最后出锋收笔。回锋撇的收笔有急速提起向右上回锋或从右侧挑出两种。写兰叶撇时力量有由轻至重、由重至轻的变化，可停驻或出锋收笔。

4. 捺　短捺、长捺多为露锋起笔，先轻后重向右下运行，收笔时出锋或回锋。反捺作反势，行笔较快稍呈弧状，出锋或回锋收笔均可。写回锋捺和挑钩捺时，多为先承势铺毫下行后即提笔转锋向右运行，收笔时前者向左回锋，后者则调正笔锋向上勾出。

5. 点　斜点为侧锋入纸后即向右下重按铺毫，收笔有向左上回锋或向左下出锋两种。撇点一般承上画笔势，侧锋落笔，然后调正笔锋先按后提向左下撇出。写捺点时露锋入纸后即向右下铺毫，再向右前方急收，短促出锋，要写得饱满，略带波势。挑点为露锋起笔，先向右下重按，紧接着折锋向右上挑出。写左右点时一般两点分开，收笔时左点上挑，右点下撇，遥相呼应。带下点为上下相互连贯的两点，两点间一般有牵丝映带，也可笔断，但要意连。

6. 钩　由于草书环转笔法的增多，带来了笔势的变化不同，写钩时转锋应圆曲一些，要显得流畅饱满。草书有些钩画不一定要露锋勾出，如浮鹅钩、戈钩多用回锋或停驻收笔。

7. 挑　露锋起笔，接着调正笔锋，先重后轻向右上运行，收笔时速度加快挑出。

8. 折　楷书中方折的笔画，到了草书多变成了环转。由于方向不同，转笔分有左环转与右环转两种。圆转以中锋行笔，有如篆书写法，要写得流畅自然。草书的转折还有折中带转、转中带折的写法，使之呈现出"曲处见直"、"圆不中规"，既秀美又沉雄的特有效果。

短　横

长　横

上挑横

下钩横

士

可

画

助

古

夫

京

马

垂露竖

升

性

悬针竖

中

军

左钩竖

拒

来

右钩竖

似

谁

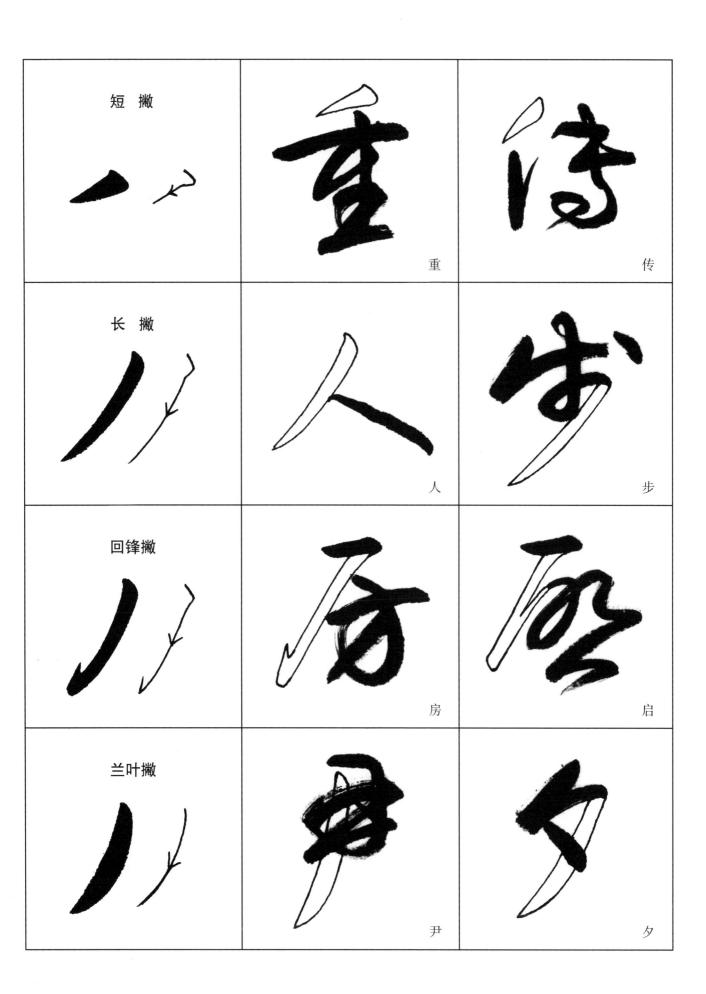

短撇

重

传

长撇

人

步

回锋撇

房

启

兰叶撇

尹

夕

短 捺

政

凌

长 捺

及

文

反 捺

更

后

回锋捺

逐

邈

挑钩捺

逸

逍

斜 点

芳

武

撇点

首

药

捺点

县

集

挑　点　　　　　　　　　　　　　　　　　　　　　　　闲　　　　　　　　　　　　　　　　冰

左右点　　　　　　　　　　　　　　　　　　　　　　典　　　　　　　　　　　　　　　　六

带下点　　　　　　　　　　　　　　　　　　　　　　伦　　　　　　　　　　　　　　　　于

横　钩　　　　　　　　　　　　　　　　　　　　　　定　　　　　　　　　　　　　　　　云

浮鹅钩

免

充

戈　钩

眠

威

背抛钩

凤

凤

挑

拂

殊

左环转	万	浅
右环转	图	物
折中带转	动	为
转中带折	周	司

四、偏旁部首 120 例

亠部		
交	享	亭
人部		
令	企	伞
儿部		
先	光	克
八部		
公	其	兼

冫部		
冲	冻	凝
几部		
凡	凯	凰
刀部		
分	切	券
力部		
勒	势	胜

十部　半　南　博

卩部　印　却　即

厂部　原　厥　厉

又部　反　叔　受

亻部　作　何　备

刂部　刑　到　剑

口部　各　吴　喻

囗部　国　园　团

20

土部　　　城

　　　　　堂

　　　　　尘

士部　　　壬

　　　　　壶

　　　　　寿

夕部　　　多

　　　　　夜

　　　　　梦

大部　　　奉

　　　　　奔

　　　　　奋

女部　如　委　嬉

子部　存　孰　学

宀部　官　家　察

寸部　专　寻　对

22

尸部　　　　尾

屋

展

山部　　　　岳

峰

崖

工部　　　　巧

巫

差

巾部　　　　帐

带

常

23

幺部　　　　　　　　　　　　　　　　　　　　幼

　　　　　　　　　　　　　　　　　　　　　　幽

　　　　　　　　　　　　　　　　　　　　　　几

广部　　　　　　　　　　　　　　　　　　　　度

　　　　　　　　　　　　　　　　　　　　　　康

　　　　　　　　　　　　　　　　　　　　　　广

廴部　　　　　　　　　　　　　　　　　　　　廷

　　　　　　　　　　　　　　　　　　　　　　延

　　　　　　　　　　　　　　　　　　　　　　建

弓部　　　　　　　　　　　　　　　　　　　　弗

　　　　　　　　　　　　　　　　　　　　　　强

　　　　　　　　　　　　　　　　　　　　　　弹

彳部　彼

从

微

忄部　悦

情

愧

扌部　接

援

摇

氵部　法

海

泪

犭部　犹

独

获

阝（阜）部　阴

际

隐

阝（邑）部　郡

都

郑

心部　志

惠

感

戈部　成　或　戏

户部　房　扁　扇

手部　拜　掌　击

攵部　故　散　敬

27

斗部　料

　　　　科

　　　　斟

斤部　斧

　　　　新

　　　　断

方部　施

　　　　旋

　　　　旗

日部　是

　　　　春

　　　　晓

月部 　　　　　有　　　　　服　　　　　朝

木部 　　　　　林　　　　　荣　　　　　楼

欠部 　　　　　欲　　　　　歌　　　　　欢

止部 　　　　　此　　　　　岁　　　　　历

歹部　　　　　　　　　　　　死　　　　　　　　　　　　殊　　　　　　　　　　　　残

殳部　　　　　　　　　　　　杀　　　　　　　　　　　　殿　　　　　　　　　　　　毅

气部　　　　　　　　　　　　氛　　　　　　　　　　　　气　　　　　　　　　　　　氤

水部　　　　　　　　　　　　永　　　　　　　　　　　　求　　　　　　　　　　　　泉

火部　炎　烽　灯

爪部　爬　爱　爵

牛部　特　犁　牺

犬部　状　兽　献

灬部　无

照

熟

王部　琴

瑞

琼

艹部　菲

华

叶

辶部　进

远

避

瓦部 瓮 瓶 瓯

田部 界 留 略

疋部 疏 疏 疑

疒部 疲 病 痛

癶部　　癸

　　　　登

　　　　发

白部　　皆

　　　　皇

　　　　皎

皿部　　盆

　　　　盛

　　　　尽

目部　　看

　　　　眺

　　　　睡

34

矢部　知　矩　矮

石部　砥　碑　碧

衤部　神　福　礼

禾部　秀　移　稀

穴部

空

突

穷

立部

竟

章

端

礻部

被

裸

襟

竹部

笑

笔

笼

米部　粥　精　糠

纟部　终　经　纬

罒部　罪　罢　罗

羊部　美　群　义

37

羽部		
习	翔	翠
耳部		
聘	联	聪
聿部		
肃	肆	肇
臣部		
卧	臧	临

38

臼部　　兴　　举　　旧

舟部　　航　　般　　艇

虍部　　虎　　处　　虚

虫部　　萤　　蝉　　虫

表	裁	裳
规	亲	观
解	觔	触
诗	语	谨

豆部　　岂

　　　　丰

　　　　艳

豕部　　象

　　　　豪

　　　　豫

豸部　　豹

　　　　豺

　　　　貌

贝部　　贺

　　　　赋

　　　　赠

41

走部　　　　　　　　　　　　　　　　　　　　　　　　　越　　　超　　　赵

足部　　　　　　　　　　　　　　　　　　　　　　　　　路　　　跳　　　践

车部　　　　　　　　　　　　　　　　　　　　　　　　　轲　　　辈　　　转

辛部　　　　　　　　　　　　　　　　　　　　　　　　　辟　　　办　　　辞

酉部　酒　醉　丑

金部　锋　钟　铁

门部　开　阑　关

隹部　雄　集　难

雨部　云　雷　灵

革部　鞍　鞠　鞭

页部　头　题　显

食部　饭　养　馆

44

马部　　　　　　　　　　　　　　　　　　　　驶　　　　　　　　骑　　　　　　　　惊

骨部　　　　　　　　　　　　　　　　　　　　骼　　　　　　　　髓　　　　　　　　体

髟部　　　　　　　　　　　　　　　　　　　　髦　　　　　　　　发　　　　　　　　鬈

鬼部　　　　　　　　　　　　　　　　　　　　魂　　　　　　　　魄　　　　　　　　魏

45

鱼部

鲜

鳗

鳞

鸟部

鸣

鹤

鹰

鹿部

麒

麓

丽

黑部

默

点

党

46

五、章法简介

章法，就是使字与字、行与行上下相承、左右相辅、互相照应、安排成篇的方法。章法也称为"篇法"、"布局"或"布白"。

我们日常写字或进行书法作品创作，多是写成句、成段、成篇的文字，所以不但要写好每一个字，而且要重视整篇的艺术处理。从写字为生产和生活服务这个角度来说，能写得清楚、平稳、匀称、大方，使人易认，看得舒服就行了。倘若从书法艺术去要求，还要在不失规矩法度的前提下，显出节奏、力度、气韵的美感。如果一篇字没天没地、无头无尾、分间无度、疏密无方、拥挤碰撞、杂乱无章，让人看得很费神、很不顺眼，这就不符合实用的要求，更谈不上艺术性了。我们学书法的步骤，一般是先写笔画，再练结构，后学章法。而大部分欣赏、评选者，总是先看整体——章法，后看局部——结构、笔画，如果认为整体不够或不好，就不多看局部了。章法是给人的第一个印象，是书法艺术欣赏的总体现，不可忽视，要下一番工夫去研究、实践。下面就把章法的基础知识作简单介绍。

（一）章法形式

书法作品有中堂、条幅、横幅、手卷、对联、扇面等多种幅式。对各种幅式中字与字、行与行之间的位置安排，即章法形式，从历代碑帖中可以看出是多样的、多变的，但可以归纳为主要的如下三种：

第一种 纵有行，横有列，即"纵横成行"。

这种形式的特点是行行分明、字字得所、整齐清楚、严谨大方，在篆书、隶书、楷书所写的碑帖、作品中见得最多。处理上，通常是字距稍小，行距略大，而隶书却相反，虽然竖写，却是字距略大于行距。如果把竖式隶书字写得行距大于字距，则会造成字与字之间的压迫感，难以使通篇神情洋溢、联翩飞扬。"纵横成行"的章法形式除了在多种书体的作品中应用外，今天我们写公函、通告及搞展览、墙报等都经常用得上。所以，应当把它作为学习章法的第一道功夫。

第二种 纵有行，横无列。

就竖式而言，由于通篇字的长短大小有所差异，字的间隔距离也就有所不同，只能直写成行，不能横排成列。行书、草书作品多是采用这样的章法形式，以适应活跃、流动、结体的变化，使字与字、行与行之间启承分明、虚实相间，通篇生动活泼、节奏明快。因为这种章法书写速度较快，一般又不难辨认，所以用途较广。凡是以行草写字，如笔记、书信、记录、标语、通知、报告……大都用得上这种章法，学习书法的人要很好地掌握运用。

第三种 纵不大成行，横全不成列。

这种章法，不宜实用。它作为中国书法艺术的布局形式之一，多在狂草作品中采用。其特点是把字的大小、虚实、疏密、轻重、粗细作俯仰起伏、参差错落的搭配安排，把通篇的字组成一幅奇巧多变、生动自然、景象无穷的作品。这种章法讲究变化、气韵、通篇美感，较难掌握，如处理不妥，或过拥挤，或过松弛，漫不成章，适得其反。所以，初学书法的人，还不宜采用。

（二）题款

一幅完整的书法作品，包括正文、题款、印章三个部分。正文以外的文字，称为"款"。题款在作品中占有相当重要的位置，尽管正文写得有水平，如果题款草率，虎头蛇尾，不合格式，也会前功尽弃。所以，正文固然重要，而题款也不可忽视。下面从三方面介绍题款的处理方法。

1. 内容　款的内容要文意正确、文字简练，有"上款"和"下款"之分。

上款：指某人或某单位请你写字，将索书者的名字、称呼、谦词题在较高的或较前的位置，以表示尊敬。

下款：包括正文出处、书者姓名（号字）、书写时间、书写地点。如书者是老人或少儿，可写上年龄。若正文是领袖、伟人的名作或名句，书者姓名之后可写上"敬书"、"敬录"等谦词。

上款、下款合叫"双款"，仅有下款的称作"单款"。在一幅作品中，因实际需要或受位置所限，不一定把以上所举的内容全都写完，如正文是家喻户晓的，题目就可写可不写，书写的时间、地点，也看是否必要。但是，书者的姓名是非写不可的，仅写姓名两三个字的题款，称为"穷款"。

2. 字体　按书法的发展史及欣赏习惯，一般写篆书可用隶书、楷书、行书题款；写隶书可用楷书、行书题款；写草书可用草书、行草题款；写行书可用行书、行草题款。因为行书既灵活又易认，并是最后形成的书体，所以任何书体的正文均可用行书题款。若颠倒过来（如写隶书用篆书题款，写楷书用隶书题款，写行书用楷书题款等），就不和谐、不协调、不贯气了。

就字的大小而言，题款的字应比正文小，反之，则主次不分，有损艺术美感。

3. 位置　题款的位置，一般在正文的后面或在正文外的空白处，应当本着与正文虚实相安、迎合有情、浑然一体的要求来处理。以竖写多行的作品而言，如末行字数较少，可以在末行空白处题款；如末行字数较多，空白处少，应另起一行题款，但要低于正文上方，末尾（含印章）不要低于正文底部。

对联的题款，一般上联的右上部题上款，下联的左中部题下款，也可在正文两边题款。

字数较多书写两行以上的对联，上联正文从右行写至左行，下联正文从左行写至右行，这种形式称"龙门对"，上、下款分别题在上、下联后方。

书法作品的幅式和题款处理是多种多样的，若写正文仅一个或几个字的少字作品，题款更是灵活多变，有的题在左边，有的题在下方，追求整幅效果。我们在掌握一般处理方法的同时，还要多看古今书家的作品，学其成功之处，变为自己所用，逐渐积累，到创作时便会胸有成竹、得心应手了。

（三）印章

在黑白分明的书法作品里盖上一两个小红块印章，这一书、印合璧的艺术形式，自古至今一直被书法作者所运用，为广大群众所喜见。印章是书法作品的一个不可缺少的组成部分，处理得好，能起到画龙点睛的作用。

1. 名章　刻有书者的姓名、字号的印章，叫"名章"。通常是盖在署名的下面或左面，不要盖到正文的行尾之下或齐平，所以题款前应考虑留有盖章的位置。印章有朱文（阴文）、白文（阳文）两种，如在一幅作品中要盖两方名章时，最好一朱一白，有所间隔。两章大小基本一致。

2. 闲章　刻有成语、警句、年代、斋号、妙语等内容的印章，统称"闲章"。通常盖在作品的右上方，故亦称"引首章"，位置选取显著的空白地方，一般盖在起首第一、第二个字之间的右边，避免与靠近的字平头或齐脚。"闲章"是相对"名章"而言，名章是非盖不可的，闲章则可盖可不盖。使用时应注意，闲章并不闲，这是指它的内容一是要健康，二是要与正文协调一体。

闲章不宜是大方形章，一般为偏长形，或是随石料的形状出其自然，故又称"随形章"。如在一幅作品中既盖名章又盖闲章，最好也是有朱有白，形状有所不同，这样既富于变化，又起到首尾呼应的效果。

（四）章法要领

1. 意在笔先　要写整篇的字，在动笔之前，先看正文有多少字，认真考虑分几行写恰当，字约多大，题款、印章在什么位置，应该心中有数，不要贸然下笔。如考虑不成熟，可先用小纸部署一下，多试几个方案，选定后，再正式下笔。这样，才能保证章法质量，并避免不必要的浪费。

2. 首字领篇　我们写出第一个字时，就基本上决定了通篇的字体风格、形体大小、笔势走向、墨色浓淡。所以，第一个字很重要，下笔前要考虑成熟，后面的很多字大都受其制约，不要失调。古人说"一字乃终篇之准"，就是这个道理。写行草书时，首字一般分量较重，如过于轻浮，就不能管领全篇。

3. 距离适度　即行距、字距要适度。在前面第一节中已介绍了各种书体的章法形式，一般来说，行距应大于字距，而隶书却是字距大于行距，也有字距、行距几乎相等的。不同书体有不同的处理，总之要适度，太宽则松垮脱节，太窄则拥挤淤塞。倘若写得分间无度，造成行歪列斜，杂乱无章，就毫无工整、气势可言了。

4. 四边留空　写整篇的字，四边必须留有一定的空白。若写纵式的中堂或条幅，一般上下留空要宽一些，左右留空稍窄一点；如写横式的横幅或手卷，则左右留空宽些，上下留空窄些，这样就显得整幅作品从容宽舒，空间感强。如果把字都写到贴纸边缘，势必产生拥挤不堪的压迫感，使人看了极不顺眼。

章法虽有一般规律，但无一定规格，特别是在即席表演的场合，条件所限，不容太久思索和过多斟酌就要下笔，书者就得随机应变。比如，第一个字写完后，尽管感到与原来的设想有出入，也应放弃原来的打算，以后的字就顺着第一个字的笔势写下去。因为行草书的伸缩性较大，所以随机应变就更为重要。如果写完第一行才发现有空疏处，第二行写到旁边就用较厚重或较宽阔的笔画来充实；写了前面部分发现字偏小而纸张余地多，就夹写些稍大稍长的字或增加题款内容字数来填补；或发现纸张余地少，则设法夹写些小字或简括题款来处理。应变能力强的作者，就算前面部分写得不尽如本意，由于随机应变得好，反而得出新颖的、成功的章法。然而，应变能力不是天生的，只有通过长期不懈的勤学苦练，博取众长，勇于探索，大胆创新，才能随着书法艺术水平的不断提高而逐渐增强。

天高云淡 望断南飞雁 不到长城非好汉 屈指行程二万

六盘山上高峰 红旗漫卷西风 今日长缨在手 何时缚住苍龙

毛泽东词 清平乐 六盘山

二〇〇八年八月 卢定山函书于复州

50

海阔凭鱼跃

天空任鸟飞

戊子新秋 庐定山书

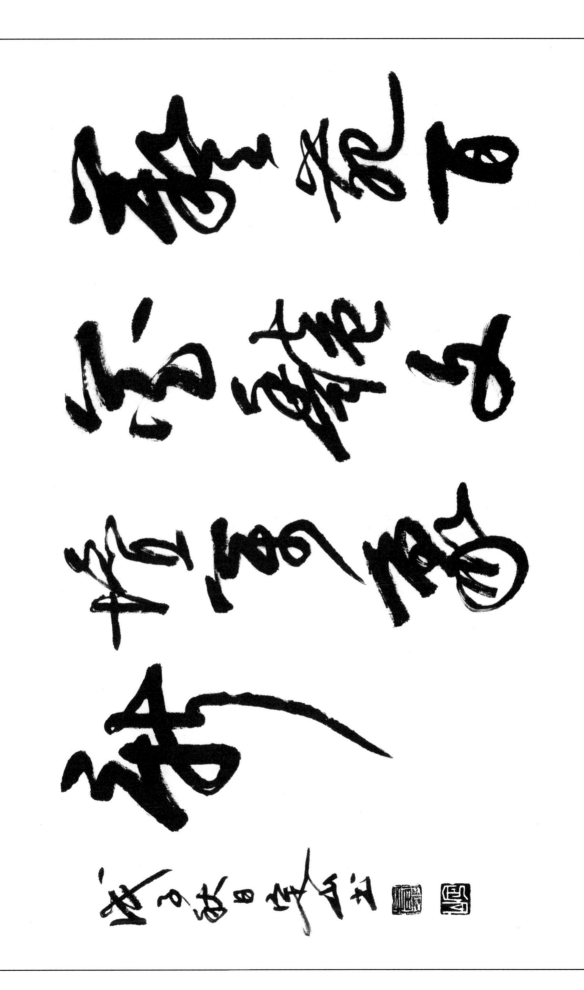

紅豆生南國　春來發幾枝　願君多採擷　此物最相思

王維詩相思二首　戊子年秋　盧定山書

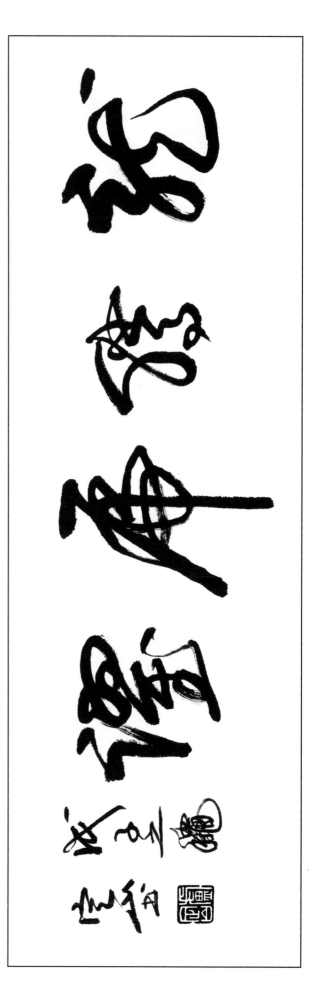

錢石梅雲氣欉枕
吳進之道友雅正

一卣采軍風涼
戊子新秋盧定山書於蔓州

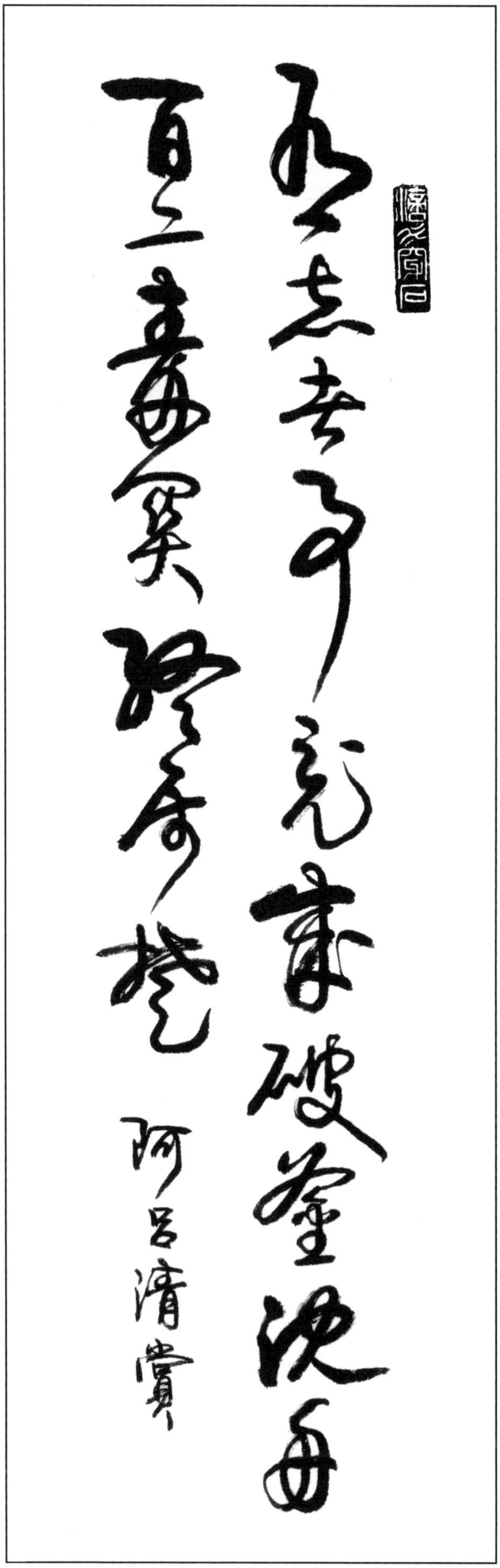

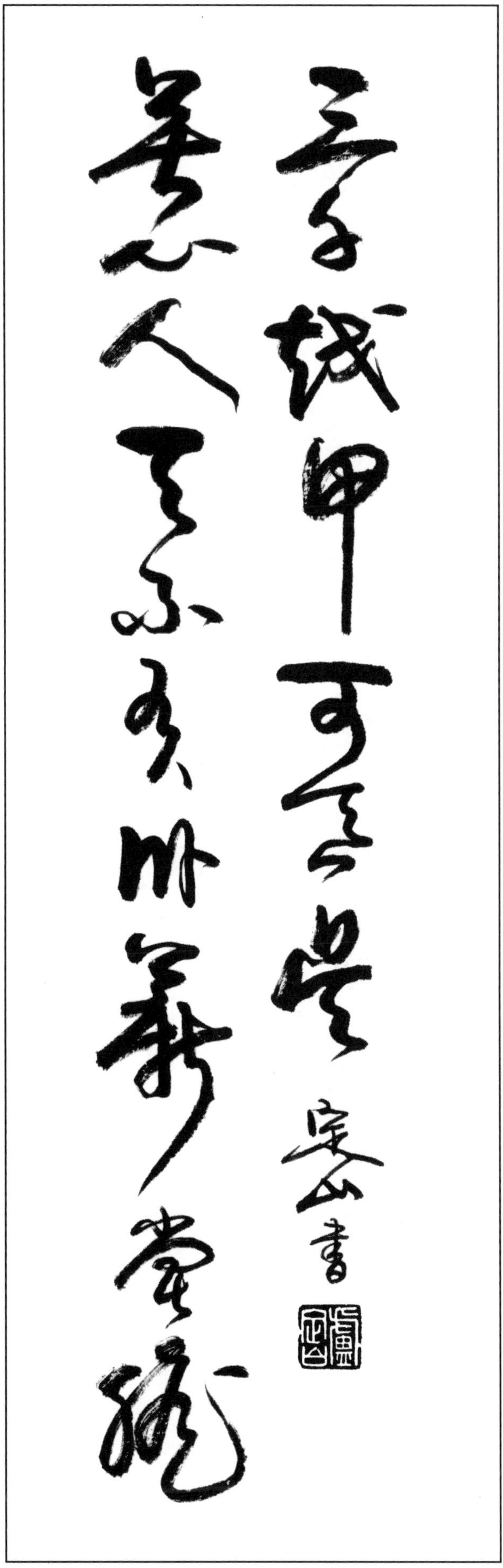

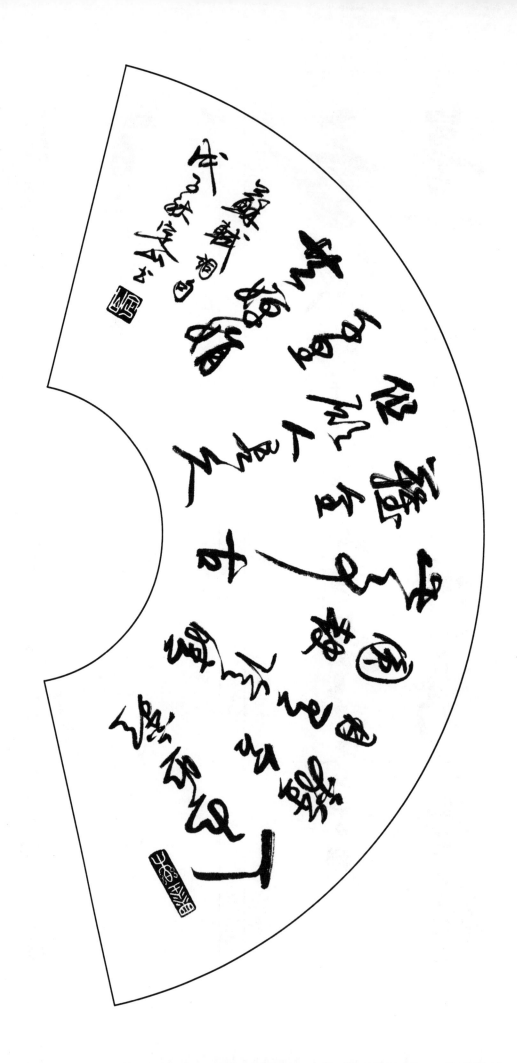

58

59

潭影空人心

空自生秋月松

发带一秋

岳飞诗句

定山书

60

故人西辞黄鹤楼，烟花三月下扬州。孤帆远影碧空尽，唯见长江天际流。

黄鹤楼送孟浩然之广陵

李白诗

朝辞白帝彩云间

千里江陵一日还

两岸猿声啼不住

轻舟已过万重山　李白早发白帝城

兰陵美酒郁金香

玉碗盛来琥珀光

但使主人能醉客

不知何处是他乡

李白诗客中行

日照香炉生紫烟

遥看瀑布挂前川飞流

直下三千尺疑是银河

落九天　李白诗望庐山瀑布

两箇黄鹂鸣翠柳
一行白鹭上青天
窗含西岭千秋雪
门泊东吴万里船　杜甫绝句

人间四月芳菲尽，山寺桃花始盛开。长恨春归无觅处，不知转入此中来。

白居易 大林寺桃花

远上寒山石径斜 白云生处有人家 停车坐爱枫林晚 霜叶红于二月花

杜牧 蒋山行

月落乌啼霜满天

江枫渔火对愁眠姑苏

城外寒山寺夜半钟声

到客船　张继诗　枫桥夜泊

黄河远上白云间一片孤城万仞山羌笛何须怨杨柳春风不度玉门关

王之涣 凉州词

应怜屐齿印苍苔，小扣柴扉久不开。春色满园关不住，一枝红杏出墙来。

叶绍翁 游园不值

少小離家老大回
鄉音無改鬢毛衰
兒童相見不相識笑問客
何處來　賀知章　回鄉偶書

71

渭城朝雨浥轻尘

客舍青青柳色新

劝君更尽一杯酒西出阳关

无故人

王维 送元二使安西

朱雀橋邊野草花
烏衣巷口夕陽斜
舊時王謝堂前燕飛入
尋常百姓家　劉禹錫烏衣巷

故園東望路漫漫　雙袖龍鍾淚不乾　馬上相逢無紙筆　憑君傳語報平安

岑參　逢入京使

三更灯火五更鸡

正是男儿读书时

黑发不知勤学早

白首方悔读书迟

颜真卿 诗

古人學問無遺力少壯
工夫老始成紙上
得來終覺淺絕
知此事要躬行

陸游詩二首

寒雨连江夜入吴，平明送客楚山孤。洛阳亲友如相问，一片冰心在玉壶。

王昌龄　芙蓉楼送辛渐

秦時明月漢時關

萬里長征人未還但使龍

城飛將在不教胡馬

渡陰山　王昌齡詩出塞

劝君莫惜金缕衣

劝君惜取少年时

花开堪折直须折

莫待无花空折枝　杜秋娘金缕衣

草滿池塘水滿陂山

衘落日浸寒漪牧童

歸去橫牛背短笛無

腔信口吹　雷震　村晚二首

东风袅袅泛崇光

香雾空蒙月转廊只

恐夜深花睡去故烧

高烛照红妆

苏轼诗海棠

勝日尋芳泗水濱

無邊光景一時新

等閒識得東風面

萬紫千紅總是春

朱熹詩春日二首

半畝方塘一鑑開
天光雲影共徘徊
問渠那得清如許為有源頭
活水來 朱熹 觀書有感

少年易老学难一寸光阴不可轻未觉池塘春草梦阶前梧叶已秋声

朱熹诗一首

经年尘土满征衣，特特寻芳上翠微。

好水好山看不足，马蹄催趁月明归。

岳飛 池州翠微亭

爆竹声中一岁除

春风送暖入屠苏

千门万户曈曈日

总把新桃换旧符　王安石诗元日

飒飒西风满院栽

蕊寒香冷蝶难来

他年我若为青帝

报与桃花一处开

黄巢诗题菊花

千锤万凿出深山
烈火焚烧若等闲
粉骨碎身浑不怕
要留清白在人间
于谦诗 石庐吟

冰雪林中著此身　不
同桃李混芳尘　忽然
一夜清香发散作乾
坤万里春　　王冕诗　白梅

咬定青山不放松，立根原在破岩中。千磨万击还坚劲，任尔东西南北风。

郑板桥题竹石图诗

图书在版编目（CIP）数据

草书入门字谱 / 卢定山编著 . -- 南宁：广西美术
出版社，2009（2024.2 重印）
ISBN 978-7-80746-622-2

Ⅰ . ①草… Ⅱ . ①卢… Ⅲ . ①草书—书法 Ⅳ .
① J292.113.4

中国版本图书馆 CIP 数据核字（2009）第 026390 号

Caoshu Rumen Zipu

草 书 入 门 字 谱

卢定山　编著

● 出 版 人　陈　明
● 终　审　谢　冬
● 策　划　龙　力
● 责任编辑　覃　祎
● 出　版　广西美术出版社
● 发　行　广西美术出版社
● 印　刷　广西民族印刷包装集团有限公司

开本　889 mm × 1194 mm　1/16
印张　6
版次　2009 年 5 月第 1 版
印次　2024 年 2 月第 1 版第 10 次印刷
书号　ISBN 978-7-80746-622-2/J・1036

定价：23.00 元

如有印装质量问题，请与本社调换